EN ROUTE POUR L'ÉCOLE

Ce livre appartient à :

Conception : Danielle Robichaud, Lucia Taddeo et Elisabeth Mikhael
Mise en page : Tony Moriello pour Design Grafico

www.kidzup.com/fr
info@kidzup.com

Table des matières

Module d'activités I

Module d'activités III

Module d'activités II

Module d'activités IV

J'apprends LES COULEURS

ROUGE

 Trace la pomme.

 Colorie la pomme en rouge.

Voici une **pomme.**

 Trace le mot rouge

BLEU

 Trace les bleuets.

 Colorie les bleuets en bleu.

Voici des **bleuets.**

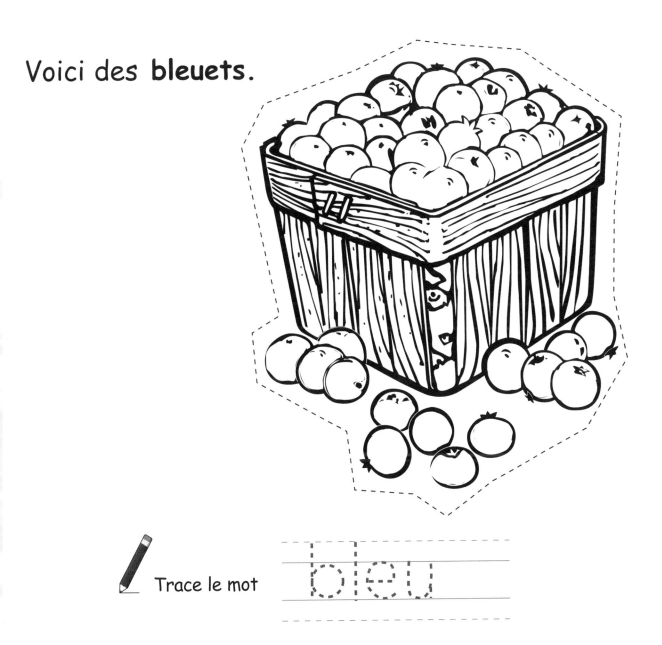

 Trace le mot   bleu

JAUNE

 Trace la banane.

 Colorie la banane en jaune.

Voici une **banane.**

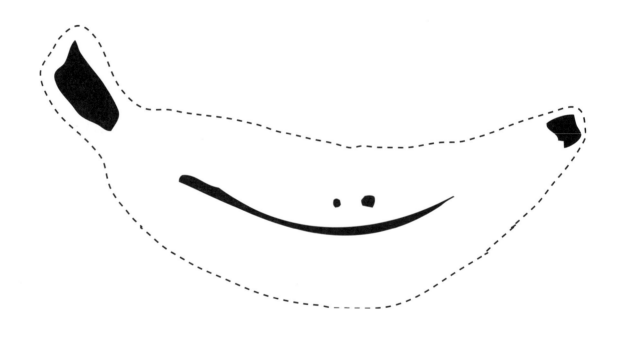

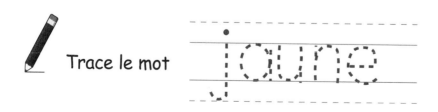 Trace le mot   jaune

VIOLET

rouge   violet   bleu

 Trace les raisins.

 Colorie les raisins en violet.

Voici des **raisins**.

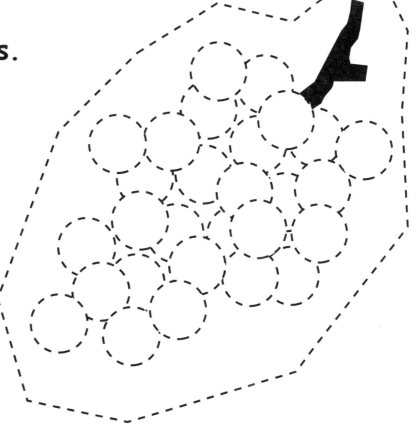

 Trace le mot 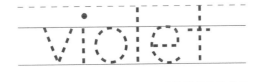

 Mélanger de la peinture rouge et de la peinture bleue avec l'enfant.

VERT

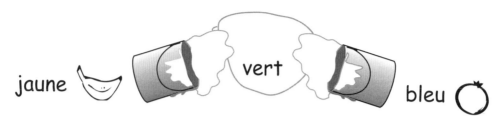

jaune   vert   bleu

 Trace les kiwis.

 Colorie les kiwis en vert.

Voici des **kiwis**.

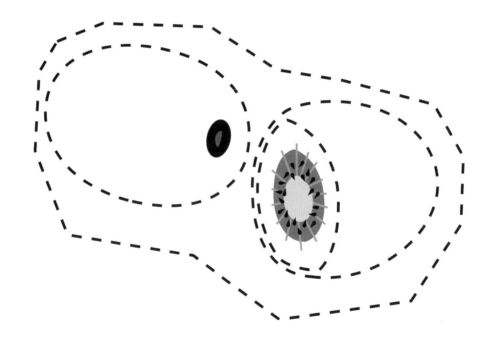

 Trace le mot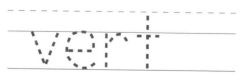

 Mélanger de la peinture bleue et de la peinture jaune avec l'enfant.

ORANGE

rouge  jaune

 Trace une orange.

 Colorie l'orange en orange.

Voici une **orange**.

 Trace le mot **orange**

 Mélanger de la peinture rouge et de la peinture jaune avec l'enfant.

Le bol de fruits

 Colorie tous les fruits de la bonne couleur.

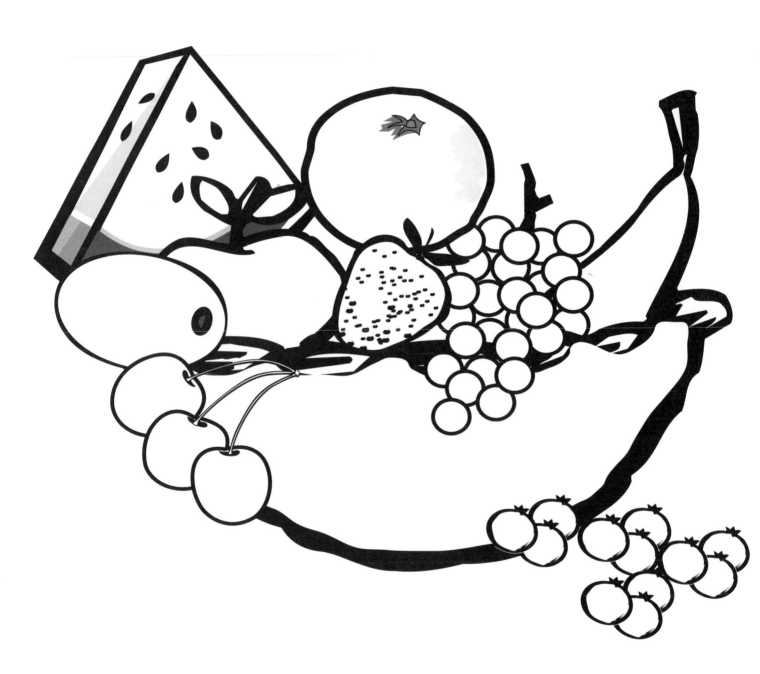

Sais-tu que toutes les couleurs se retrouvent dans l'arc-en-ciel?

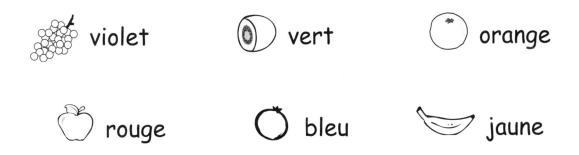

violet

vert

orange

rouge

bleu

jaune

 Colorie l'arc-en-ciel.

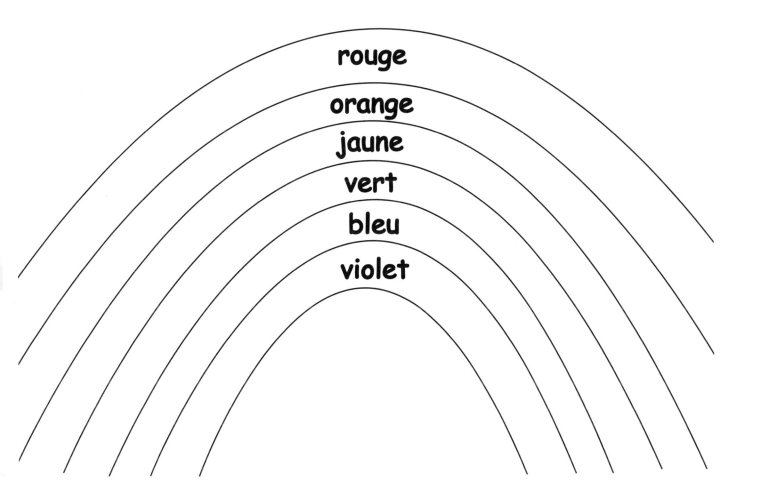

rouge

orange

jaune

vert

bleu

violet

NOIR et BLANC

 Trace les rayures du zèbre et colorie-les en noir.

Voici un **zèbre.**

Trace le mots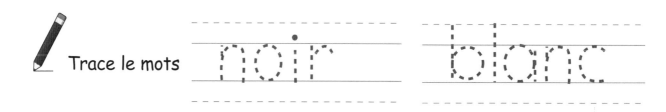

BRUN, GRIS et ROSE

 Connais-tu la couleur de ces animaux?
Trace les mots et colorie les images de la bonne couleur.

gris

brun

rose

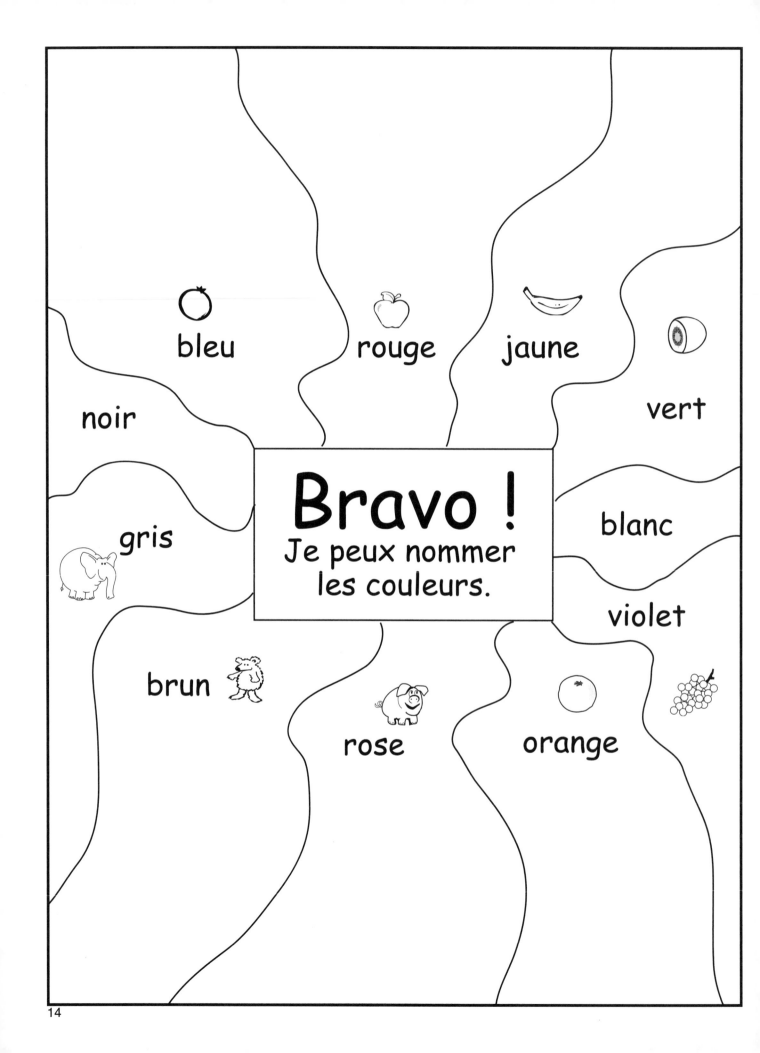

bleu

rouge

jaune

vert

noir

Bravo !
Je peux nommer les couleurs.

blanc

gris

violet

brun

rose

orange

Module d'activités I
«Au bout des doigts»

Colorie l'image.

16

Aide l'abeille à retrouver son ami l'éléphant.

Colorie l'image d'après les indications.

 rouge    bleu    jaune

Fais un dessin de ta famille. Demande à chaque membre de ta famille quelle est sa couleur préférée.

Colorie le perroquet en utilisant les couleurs préférées des membres de ta famille.

Je découvre LES FORMES

CERCLE

 Trouve les cercles dans le dessin et colorie-les.

CARRÉ

Trace les carrés avec des crayons de différentes couleurs.

TRIANGLE

 Encercle les objets en forme de triangle et colorie-les. Trace un X sur les autres.

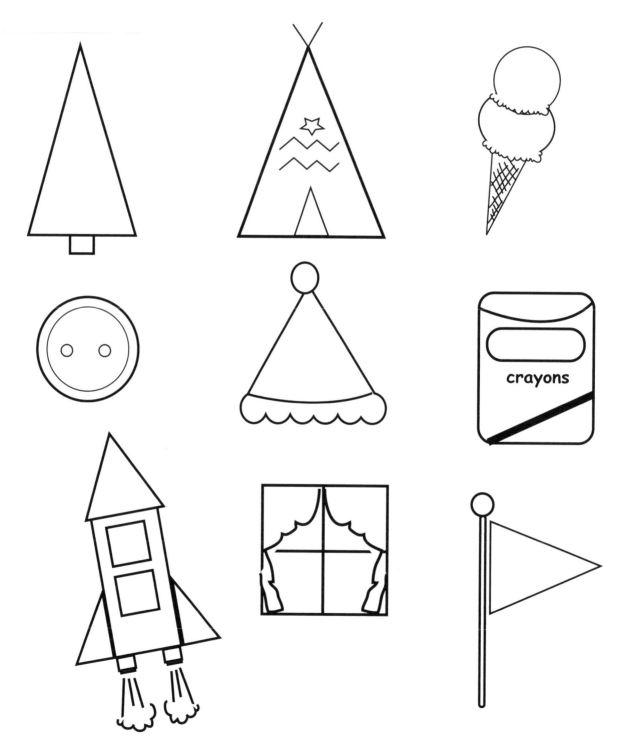

RECTANGLE

Trace les rectangles pour compléter le dessin.

Relie les pointillés de chaque forme.
Relie chaque forme au dessin correspondant.

cercle   carré   triangle   rectangle

Trace les formes en suivant les flèches.
Dessine la même forme à côté.

_____

_____

_____

_____

_____

Colorie

 ◯ rouge ☐ jaune ☆ orange △ bleu ☐ vert

27

Module d'activités II
«Au bout des doigts»

Colorie les △ en jaune et les ◯ en rouge.

 Colorie les ▭ en vert et les ☐ en bleu.

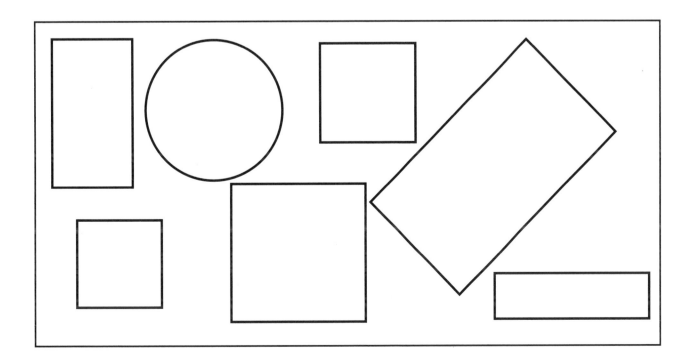

29

 Trace les étoiles et colorie-les de couleurs différentes.

 Pauvre petite fée! Son étoile disparaît! Peux-tu la faire réapparaître?

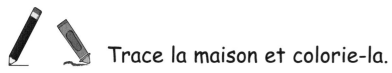 Trace la maison et colorie-la.

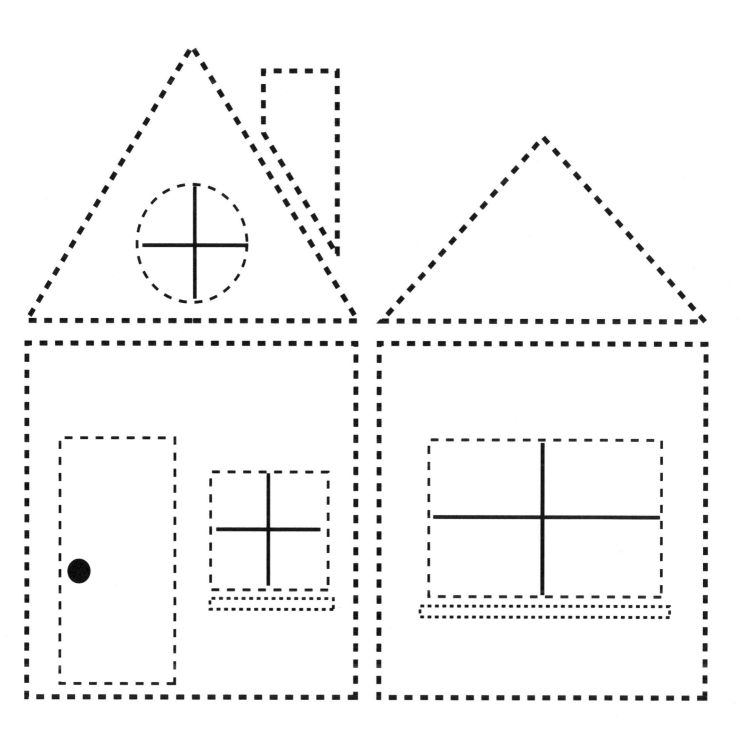

Trace le chemin de la petite fille à sa maison.

Trace les images et colorie-les.

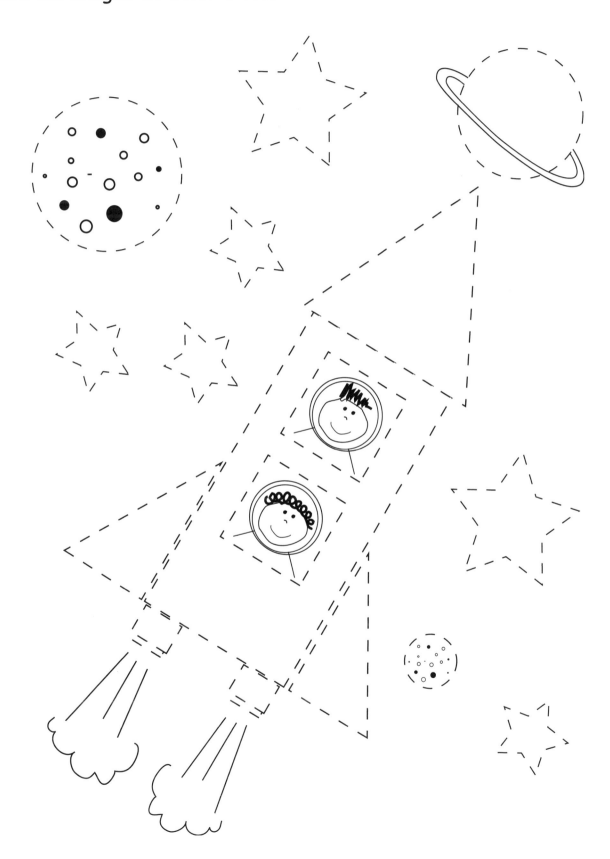

Je trace LES LETTRES

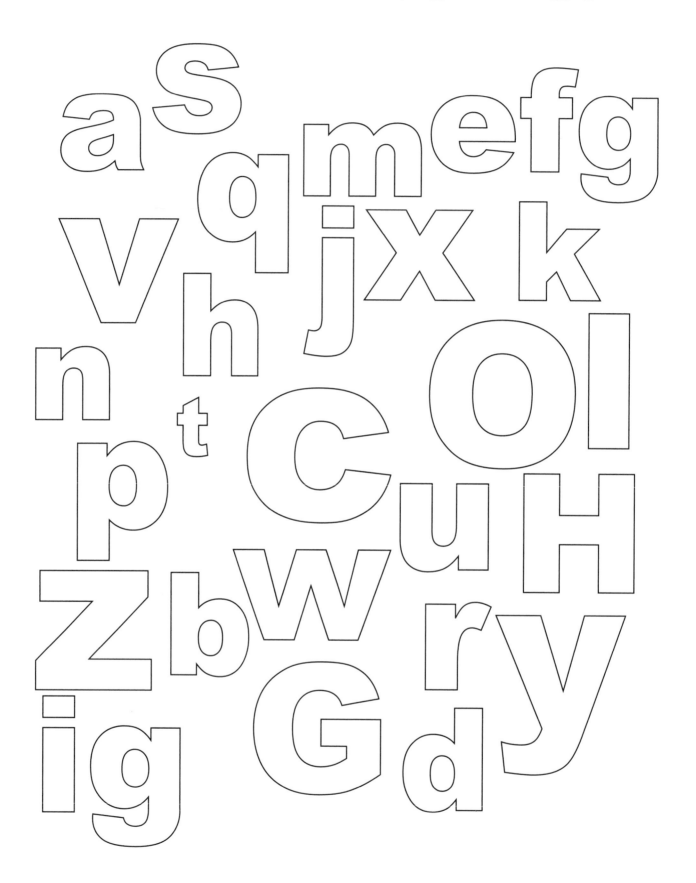

Aa

avion

arbre

arc-en-ciel

Bb

Benoît

banane

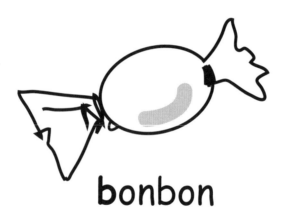

bonbon

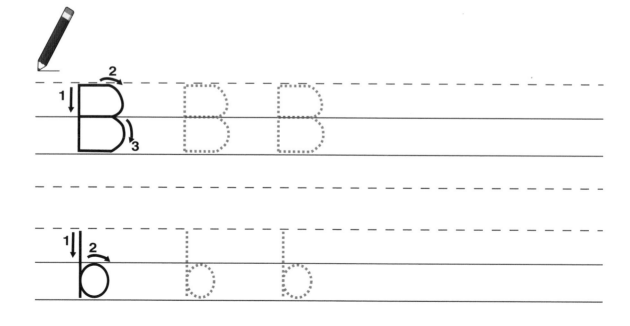

Cc

Sais-tu que tu peux faire deux sons différents avec la lettre **c**?

carotte

cochon

cerise

Dd

dinosaure

dauphin

drapeau

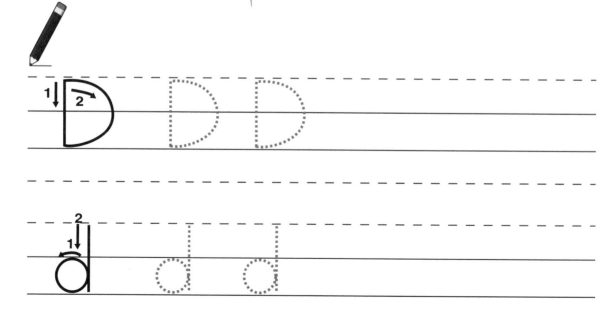

Ee

étoile

éléphant

cheval

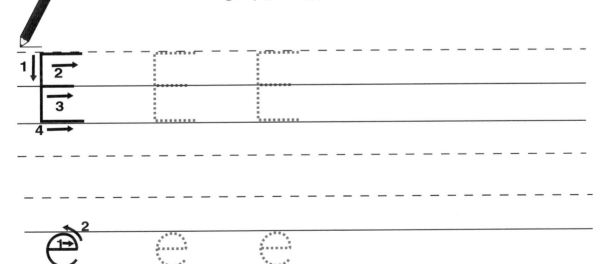

Ff

fleur

fusée

fraise

40

A à F

Colorie les fleurs d'après les indications.

A a ---- vert   **C c** ---- bleu   **E e** ---- orange
B b ---- jaune   **D d** ---- rouge   **F f** ---- violet

Gg

Sais-tu que tu peux faire deux sons différents avec la lettre **g**?

grenouille

girafe

gorille

G G G

g g g

Hh

hibou

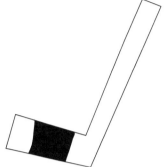

hockey

hippopotame

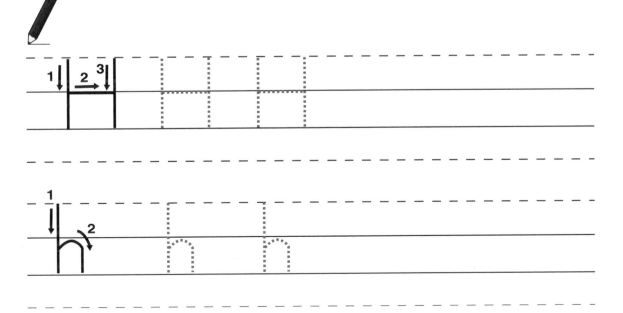

A à H

Relie les lettres de **A** à **H** et de **a** à **h**.

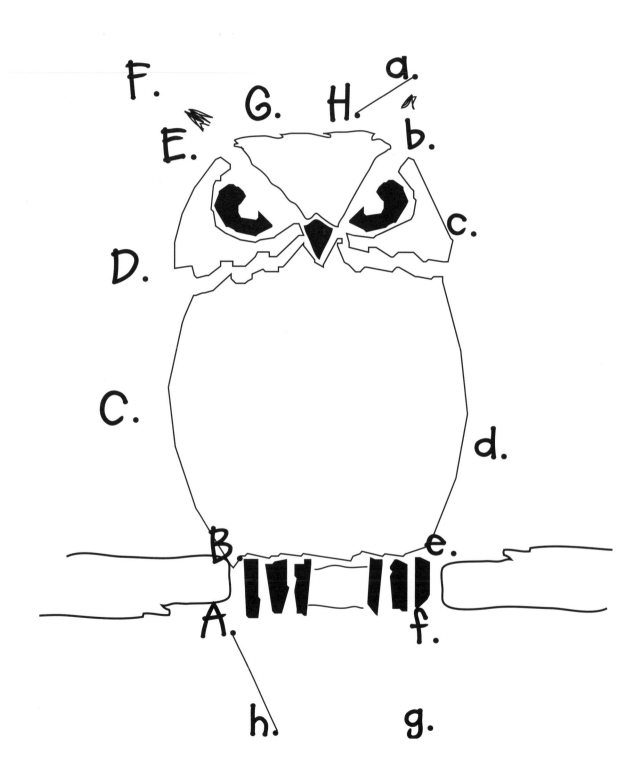

Ii

igloo

île

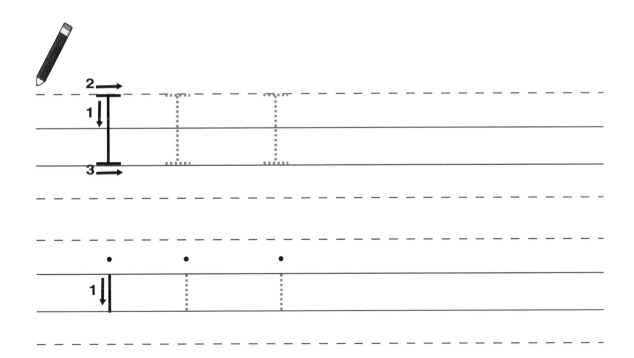

Jj

jongleur

jupe

jouets

A à J

Les mamans poissons (lettres majuscules) cherchent à retrouver leur bébé (lettres minuscules). Peux-tu les aider en coloriant de la même couleur les poissons qui vont ensemble?

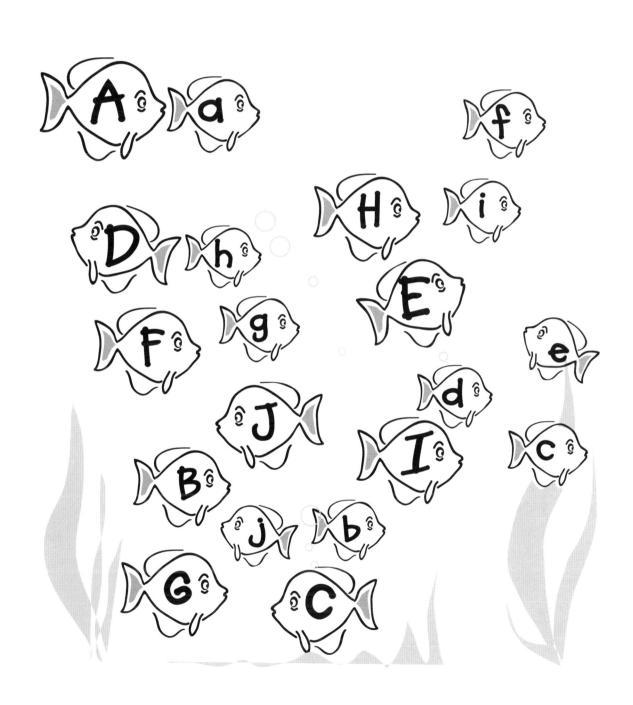

Kk

koala

kangourou

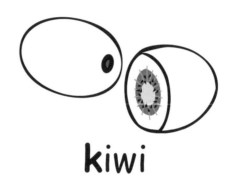

kiwi

Ll

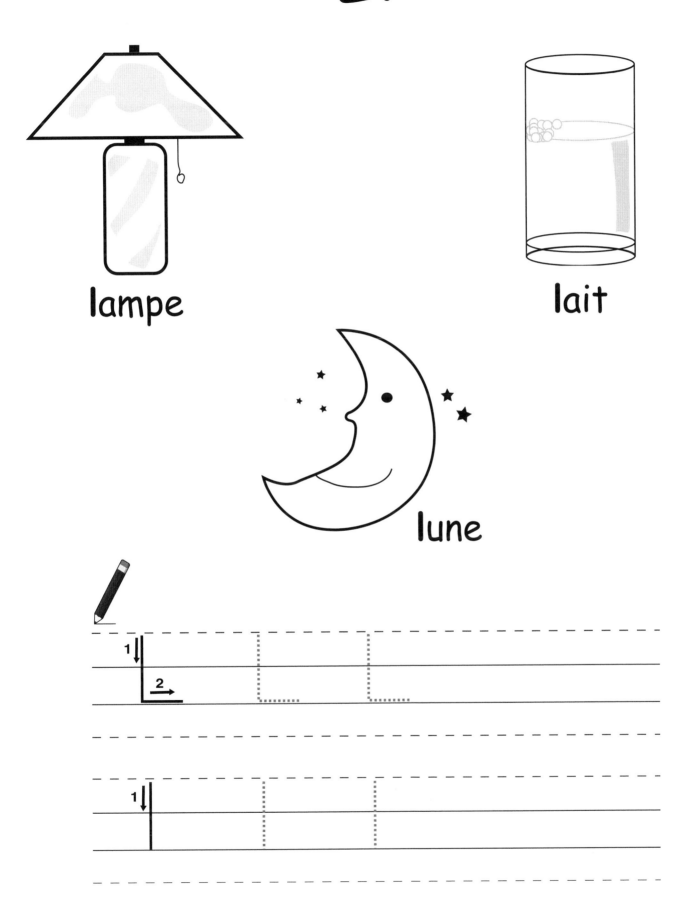

lampe

lait

lune

Mm

maison

mouton

marionnette

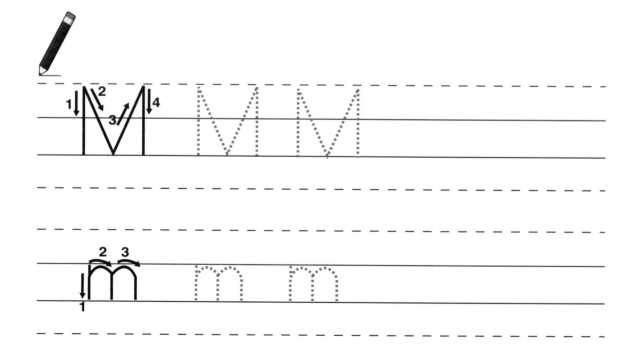

 Relie les lettres de **A** à **M**.

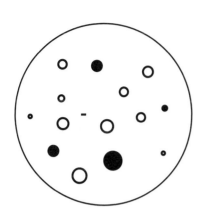 

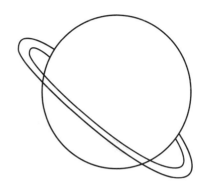

L. K.   C. B.

J.   D.

I.   H.   G.   F.   E.

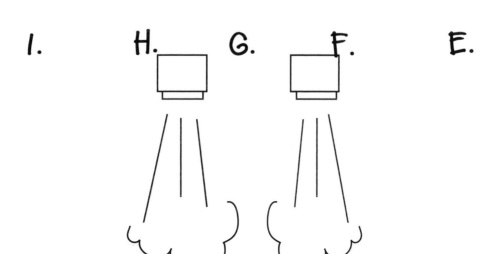

Nn

nid

nuage

nez

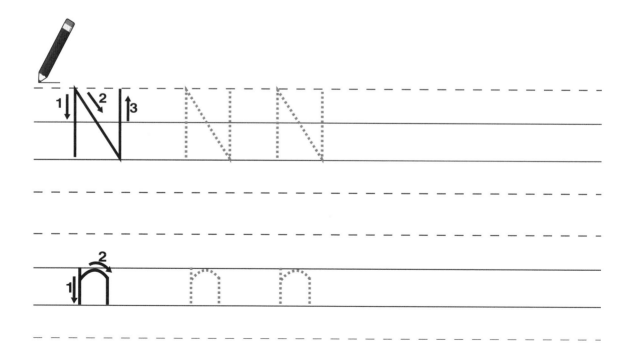

Oo

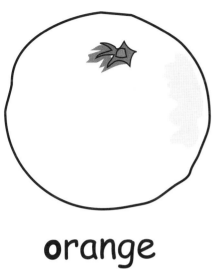

orange

oreille

ovale

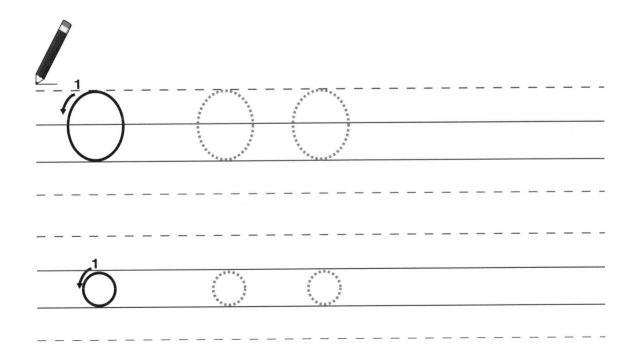

Pp

poisson

pingouin

papillon

Qq

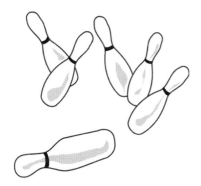

quilles

quatre

queue

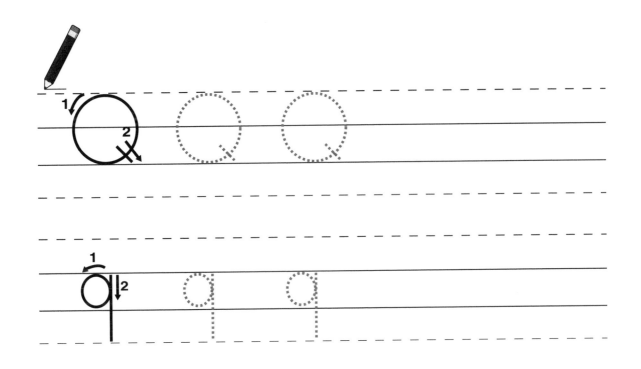

Rr

roi

rectangle

rose

Ss

soleil

serpent

sapin

Tt

tulipe

tigre

triangle

Relie la lettre majuscule à la lettre minuscule correspondant.

K •   • m

L •   • o

M •   • q

N •   • k

O •   • r

P •   • s

Q •   • l

R •   • t

S •   • n

T •   • p

Uu

uniforme

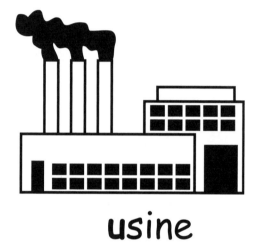

usine

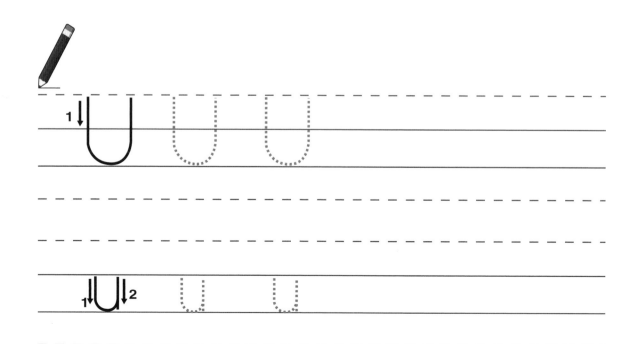

Vv

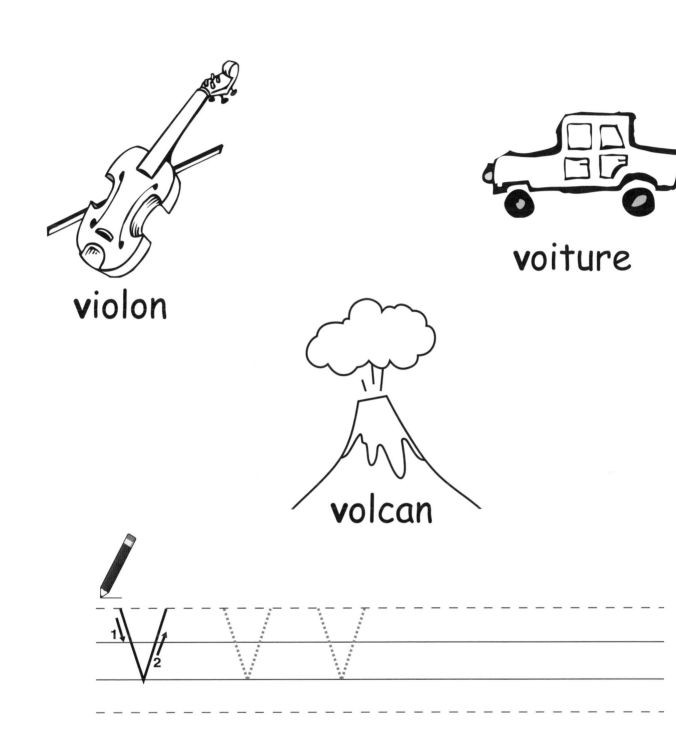

violon

voiture

volcan

Ww

wigwam

wapiti

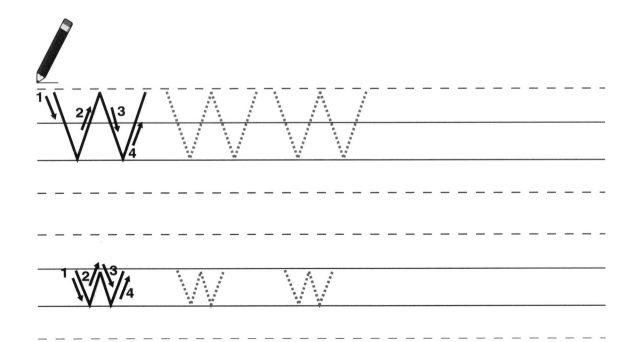

A à W

Relie les points de **A** à **W**.
Wow! Regarde ce que tu as dessiné.

A.————W.　　　　　Q.　　　　　　M.　　　L.

　　　　V.　　　R.　　　　　　　　　K.

　　　　　　　　　　　　P.　N.

B.

　　　　U.　S.

　　　　　　　F.　　　　　　J.

　　　　　　　　　　O.

　　　　　T.

C.

　　　　　　　G.　　I.

　　　　E.

D.　　　　　　　H.

Xx

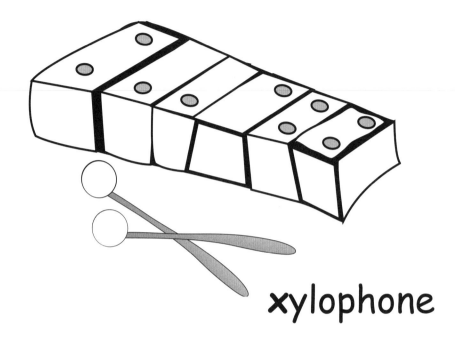

xylophone

Yy

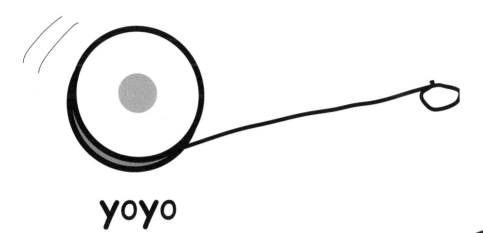

yoyo

yogourt

Zz

zèbre

zoo

zigzag

 Relie les lettres de **A** à **Z**.

A.   B.   C.   D.

Z.

                                                            .E

Y.   X.   W.

                                            .F

            V.

                                    .G

                            .H

    U.

                            .I   .J   .K   .L

    T.

                                                            .M

S.   R.   Q.   P.   O.   .N

Le jeu de l'alphabet

Écoute la chanson de l'alphabet ou demande à quelqu'un de te réciter l'alphabet avant de commencer ce jeu.

Matériel : Un dé et un pion pour chaque joueur.

Règles du jeu : Place ton pion sur la case de départ. Lance le dé et avance le nombre de cases indiqué par le dé. Nomme la lettre. Si tu ne la connais pas, retourne à ton dernier point de départ. Le premier joueur à atteindre la lettre Z est déclaré gagnant.

départ

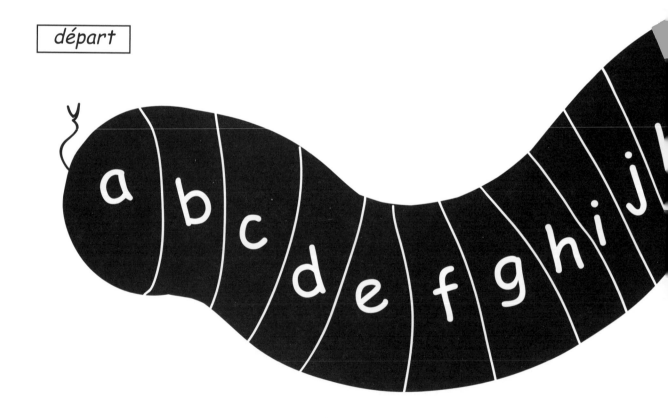

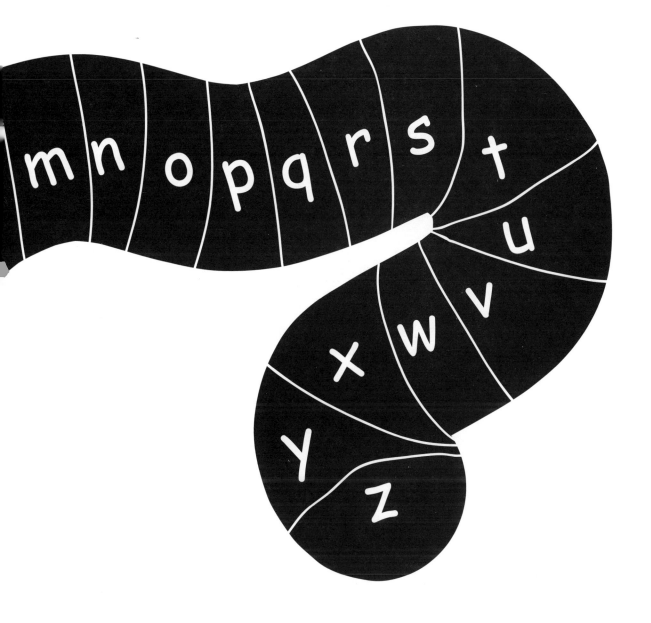

Colorie les paires de lettres de la même couleur.

Je connais mon alphabet!

Module d'activités III
«Au bout des doigts»

Fais un dessin de toi-même. Demande à un adulte de t'aider à écrire ton nom sous le dessin.

Relie les lettres de a à z pour former le dessin.

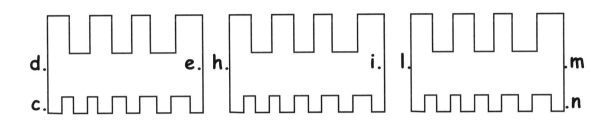

d.   e. h.   i. l.   .m

c.   .n

f. g.   j. k.

b.   o.

u.   v. .r   s.

a.   w.   t.   q.   p.

x.   y.   z.

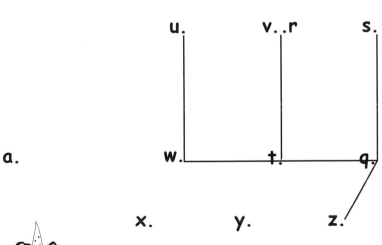

Colorie l'image.

Trace le chemin du ballon en utilisant trois crayons de couleurs différentes.

Trace l'image et colorie-la.

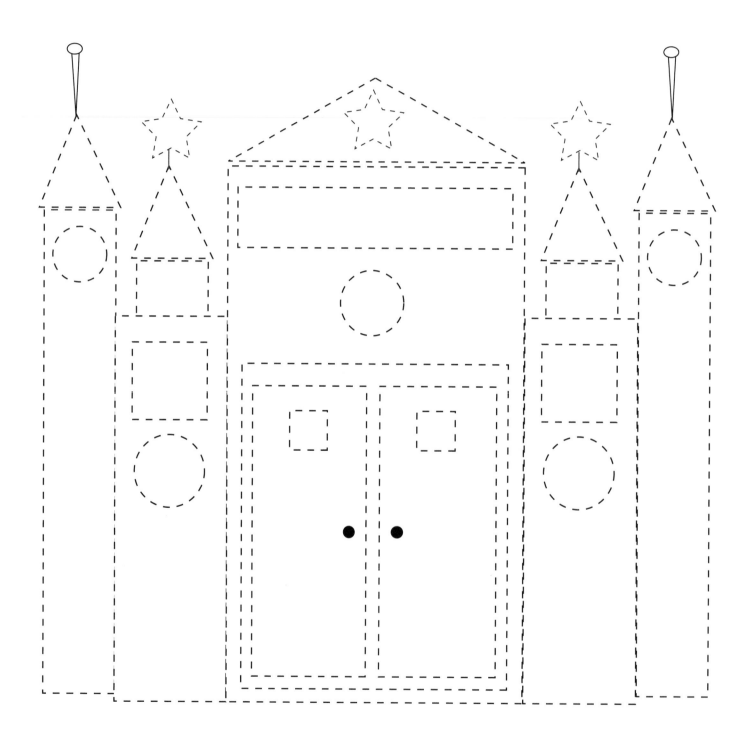

Je compte avec LES CHIFFRES

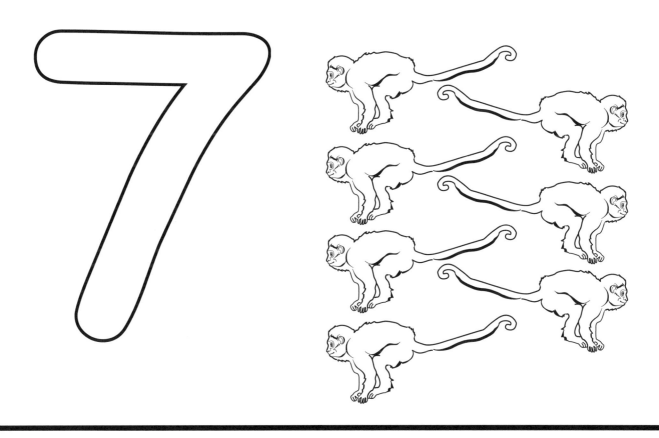

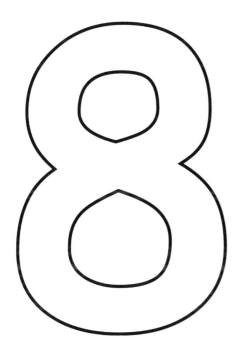

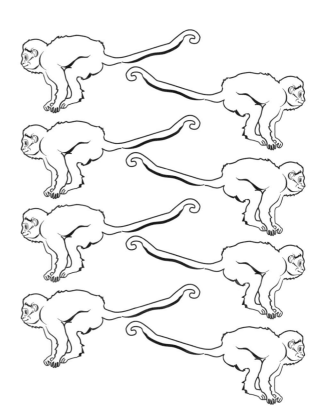

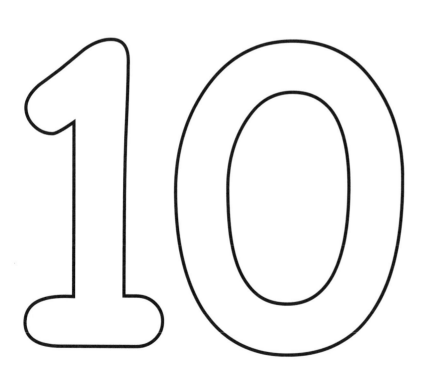

	1		
	2		
	3		
	4		
	5		

(elephants)	6		
(monkeys)	7		
(monkeys)	8		
(cats)	9		
(cats)	10		

Compte les objets de chaque ligne du tableau et écris le chiffre correspondant dans la case. Tu peux demander à un adulte de t'aider.

	☆ ☆	
	⊘	
	✿ ✿ ✿ ✿ ✿	
	☀ ☀ ☀ ☀ ☀ ☀ ☀	
	🍓 🍓 🍓 🍓 🍓 🍓 🍓 🍓 🍓	
	🍎 🍎 🍎 🍎 🍎 🍎 🍎 🍎	
	🐟 🐟 🐟 🐟 🐟 🐟 🐟 🐟 🐟 🐟 🐟	
	🐰 🐰 🐰 🐰	
	🐕 🐕 🐕	
	🦆 🦆 🦆 🦆 🦆 🦆	

11

12

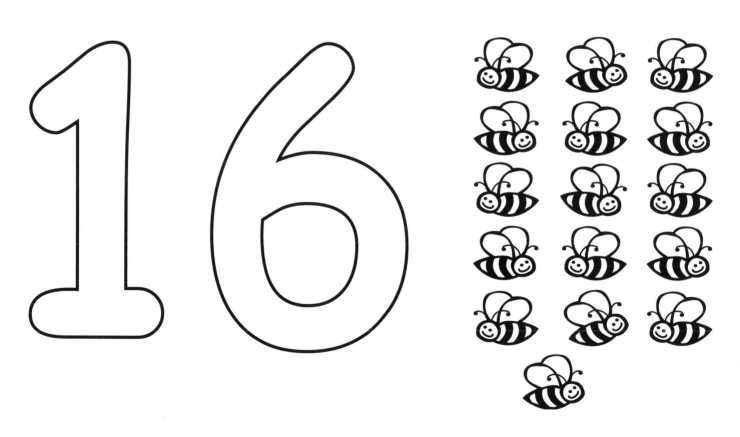

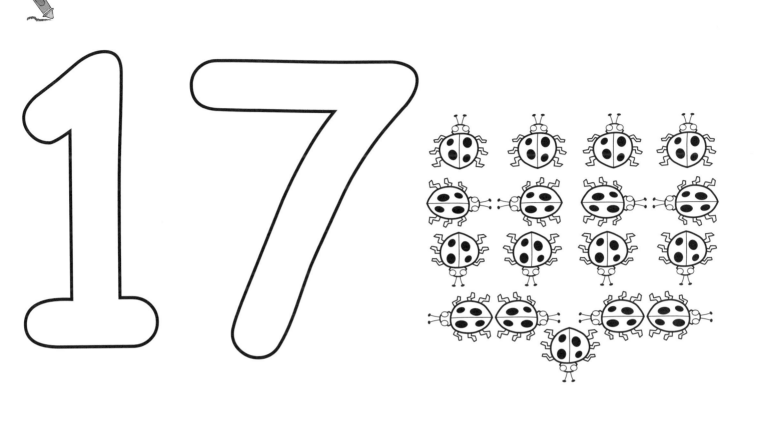

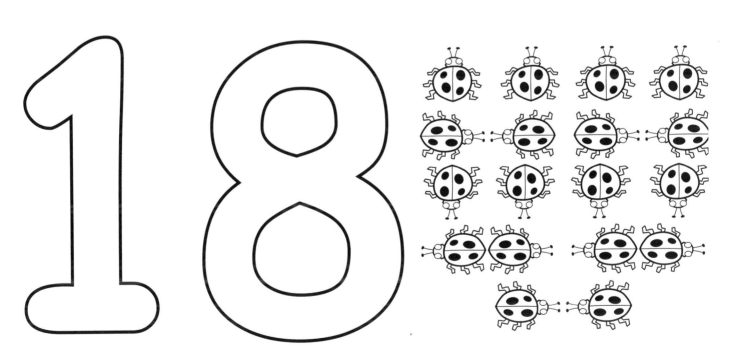

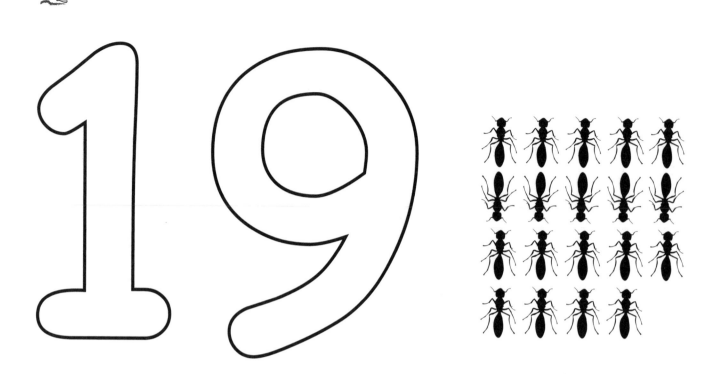

  (mice)	¦¦		
(mice)	¦2		
(fish)	¦3		
(fish)	¦4		
(bees)	¦5		

(bees)	16		
(ladybugs)	17		
(ladybugs)	18		
(ants)	19		
(ants)	20		

Dessine un groupe d'objets correspondant au nombre écrit dans chaque case.

2

6

4

1

5

3

Matériel : Un dé et un pion pour chaque joueur.

Règles du jeu : Place ton pion sur la case de départ. Lance le dé et avance le nombre de cases indiqué par le dé. Nomme le chiffre. Si tu ne le connais pas, retourne à ton dernier point de départ. Le premier joueur à atteindre le chiffre 20 est déclaré gagnant.

94

Module d'activités IV
«Au bout des doigts»

Colorie l'image.

 Fais un dessin de ton animal préféré.

Aide la dinde à retrouver son chemin jusqu'à la ferme.

 Relie les chiffres et colorie l'image.

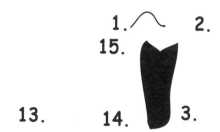

1. 2.
15.

13. 14. 3.

12.

4.

11.

5.

10.

6.

9. 8. 7.

Colorie l'image.

Activités supplémentaires

LES FORMES :

1. Préparer un cahier avec une forme représentée en haut de chacune des pages. L'enfant devra trouver et découper des images qui correspondent à chaque forme et les coller sur la bonne page.

2. Préparer une pâte à modeler maison (recette à la page suivante) et demander à l'enfant de modeler les différentes formes.

3. Proposer à l'enfant de tracer, avec son doigt, les différentes formes sur le dos d'un autre enfant qui lui, doit deviner les formes.

4. Demander à l'enfant de tracer les formes dans du sable ou du sel. (On peut utiliser une boîte, une assiette, etc.)

5. Proposer à l'enfant de dessiner des formes avec de la peinture à doigts ou de la gouache.

6. Découper les différentes formes dans du carton épais et les mettre dans un sac. Sans regarder, l'enfant doit piger une forme et l'identifier au toucher.

LES GRANDEURS :

1. Chercher des objets de différentes grandeurs et les classer.

2. Demander aux enfants de la classe de se placer du plus petit au plus grand.

Activités supplémentaires

Recette de pâte à modeler

3 tasses de farine
1 $^{1/2}$ tasse de sel
1 $^{1/2}$ tasse d'huile
1 tasse d'eau
1 cuillère à soupe de colorant alimentaire

Mélanger tous les ingrédients dans un grand bol jusqu'à ce que le mélange soit homogène.

Garder au réfrigérateur dans un sac de plastique.

LES COULEURS :

1. Préparer un cahier avec une couleur indiquée en haut de chacune des pages (écrire le nom de la couleur avec un marqueur de cette même couleur). L'enfant devra trouver des images (catalogues, cahiers publicitaires, revues, etc.), les découper et les coller sur la bonne page.

    Pour une classe, faire la même activité mais utiliser des cartons bristols pour faire un grand livre.

2. Préparer des affiches dont la forme représente un objet d'une couleur connue. Par exemple, découper une grande pomme dans du papier rouge, une grande banane dans du papier jaune, etc.

    L'enfant devra trouver des images, les découper et les coller sur l'affiche correspondante.

3. Semaine des couleurs.
    Désigner un jour de la semaine pour chaque couleur. L'enfant devra porter un vêtement de cette couleur. On peut lire une histoire relative à la couleur du jour.

4. Salade de fruits.
    Préparer une salade de fruits sur le thème des différentes couleurs.

Activités supplémentaires

1. Proposer à l'enfant de tracer, avec son doigt, différentes lettres sur le dos d'un autre enfant qui lui, doit deviner la lettre et dire le son.

2. Demander à l'enfant de tracer des lettres dans du sable ou du sel en disant le son. On peut utiliser une boîte, une assiette, etc.

3. Offrir à l'enfant de dessiner des lettres avec de la peinture à doigts ou de la gouache

4. Découper de grandes lettres dans du carton. Proposer à l'enfant de faire un collage sur chaque lettre, avec des objets ou des images qui commencent par cette lettre.

5. Demander à l'enfant de former les lettres de l'alphabet avec de la pâte à modeler.

6. Préparer avec l'enfant, des biscuits en forme de lettres.

7. Encourager l'enfant à faire de la peinture avec des éponges en forme de lettres de l'alphabet. (Ces lettres peuvent aussi être découpées dans des éponges à la maison.)

8. Préparer de la soupe à l'alphabet avec l'enfant.

9. Mélanger du savon à lessive en poudre avec de l'eau et de la peinture et demander à l'enfant de tracer les lettres avec un pinceau.

10. Préparer un cahier avec une page pour chaque lettre de l'alphabet. L'enfant devra trouver et découper des images (catalogues, cahiers publicitaires, revues) et les coller sur la bonne page.

Également disponible

Les animaux — Livre et CD
FBCD-1105219

Comptines — Livre et CD
FBCD-0705207

Les couleurs — Livre et CD
FBCD-1105222

Les chiffres — Livre et CD
FBCD-1105220

Pour commander :

www.kidzup.com/fr   info@kidzup.com